Hwyl yr Haf

Catherine Saunders
Addasiad Catrin Wyn Lewis

RILY

www.rily.co.uk

Golygydd y testun gwreiddiol Lisa Stock
Uwch-olygydd Victoria Taylor
Uwch-ddylunydd Lisa Sodeau
Cynhyrchydd cyn-gynhyrchu Siu Yin Chan
Cynhyrchydd Louise Daly
Rheolwr golygu Elizabeth Dowsett
Rheolwr dylunio Nathan Martin
Rheolwr cyhoeddi Julie Ferris
Cyfarwyddwr celf Ron Stobbart
Cyfarwyddwr cyhoeddi Simon Beecroft

DK DELHI
Is-olygydd y testun gwreiddiol Gaurav Joshi
Uwch-olygydd Celf Garima Sharma
Is-olygydd Celf Suzena Sengupta
Dirprwy reolwr golygydd celf Neha Ahuja
Dylunydd DTP Umesh Singh Rawat
Uwch-ddylunydd DTP Jagtar Singh
Rheolwr cyn-gynhyrchu Sunil Sharma

Ymgynghorydd Darllen
Maureen Fernandes

Addasiad Cymraeg gan Catrin Wyn Lewis

ISBN 978-1-84967-024-1

Penguin
Random
House

Cyhoeddwyd yn wreiddiol yn Saesneg yn 2014 dan y teitl LEGO Friends: *Summer Adventures*
gan Dorling Kindersley Ltd, Cwmni Penguin Random House.

Mae LEGO, logo LEGO, y cyfluniad Brick a Knob, a logo FRIENDS
yn nodau masnach o'r LEGO Group. © 2018 The LEGO Group.
Cynhyrchwyd gan Dorling Kindersley, 80 Strand, Llundain, WC2R 0RL,
dan drwydded y LEGO Group.
LEGO, the LEGO logo, the Brick and Knob configurations,
and the FRIENDS logo are trademarks of the LEGO Group.
©2018 The LEGO Group.
Manufactured by Dorling Kindersley, 80 Strand London, WC2R 0RL,
under license of the LEGO Group.

Cyhoeddwyd gan / Published by:
Rily Publications Ltd, P.O. Box 257, Caerffili, CF83 9FL
Cymru, United Kingdom

Mae'r cyhoeddwr yn cydnabod cefnogaeth ariannol Cyngor Llyfrau Cymru.

Mae cofnod catalog CIP o'r llyfr hwn ar gael o'r Llyfrgell Brydeinig.

Argraffwyd a rhwymwyd yn China.

www.LEGO.com

Cynnwys

Mae hi'n haf!

Mae hi'n haf yn Abercalon!
Does dim rhaid i'r ffrindiau
fynd i'r ysgol!
Mae Mia, Lili, Sara, Andrea ac
Ela yn edrych ymlaen at gael
llawer o hwyl.

Beth fydd y merched yn ei wneud
dros wyliau'r haf?
Mae'r ffrindiau eisiau gwneud
pob math o bethau!

Beth am ymuno gyda nhw
ar antur fawr yr haf?

Helô, ferched!

Mae'r haf wedi dod! Rydw i wrth fy modd!

Rydw i'n mynd i hedfan fy awyren fôr. Bydda i'n gallu gweld Abercalon o'r awyr!

Sara

Rydw i'n mynd i weithio yng nghaffi Abercalon! Rydw i eisiau arian er mwyn talu am wersi canu ...

Andrea

Ela

Rydw i'n mynd i nofio yn y pwll bob dydd!

Mia

Rydw i'n mynd i ddysgu Siôn, y ci bach, sut i wneud triciau! Mae Siôn a fi yn mynd i sioe gŵn!

Lili

Rydw i'n mynd i ymlacio ar y traeth bob dydd!

Yr awyren fôr

Mae Sara yn hoffi hedfan mewn awyren.

Mae gan Sara awyren arbennig sy'n gallu glanio ar ddŵr – awyren fôr.

Mae Sara wedi dysgu sut i hedfan awyren. Mae hi wrth ei bodd.

Heddiw, am y tro cyntaf, mae hi am hedfan ar ei phen ei hun!

Dyma hi! Dyma Sara yn yr awyren fôr!
Mae'r tywydd yn braf iawn ac mae
Sara yn gallu gweld ei ffrindiau!
Ble mae Mia?
Dyna hi! Mae Mia yn y stablau gyda
Bel, y ceffyl.
A dyna Ela yn siopa ar y stryd fawr!

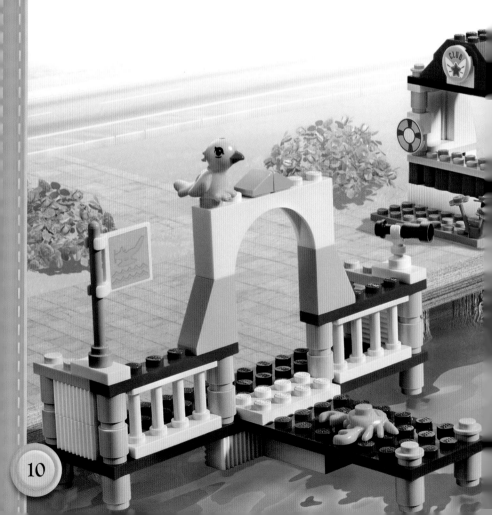

Mae Lili yn garddio.

Ond ble mae Andrea?

Dyna hi! Mae Andrea yn gweithio
yn y caffi.

Dyna drueni, mae hi'n amser i ddod
yn ôl i lanio nawr. I lawr â Sara.

Llythyron

Mae gan Sara lawer o
ffrindiau dros y byd i gyd.

Mae hi wrth ei bodd yn
ysgrifennu a phostio
llythyron at ei holl ffrindiau.

Heddiw, mae Sara yn postio
llythyr at ei ffrind, Elin.
Mae Sara ac Elin yn gweld
ei gilydd bob haf.

21, Stryd y Blodau,

Abercalon

Awst 4ydd

Annwyl Elin,

Hwrê! Mae hi'n haf o'r diwedd! Does dim ysgol am amser hir

Rydw i'n hoffi gwyliau'r haf. Rydw i'n edrych ymlaen at dy weld di eto.

Wyt ti'n cofio Ela? Mae Ela a fi eisiau marchogaeth ceffylau dros yr haf. Wyt ti'n hoffi ceffylau hefyd?

Rydyn ni eisiau mynd i wersyll ceffylau. Rydyn ni'n mynd i ddysgu sut i ofalu amdanyn nhw a sut i'w marchogaeth. Wyt ti eisiau dod hefyd?

Gyda chariad,
Sara

Elin

75 Heol Hir,

Trehafan

Ceffylau

Yn yr haf, mae Sara, Ela a Mia yn hoffi
mynd i'r stablau i weld y ceffylau.
Bel yw ceffyl Mia.
Mae Bel yn frown gyda
llygaid prydferth.

Mae Sara ac Ela yn mynd i'r gwersyll ceffylau gyda ffrind Sara, Elin.

Yn y bore, mae Tirion, yr athrawes, yn dysgu'r merched sut i ofalu am y ceffylau. Yn y prynhawn, mae Sara, Ela ac Elin yn marchogaeth yn y cae.

Ar ddiwedd y dydd, mae'r merched yn brwsio a bwydo'r ceffylau, cyn eu rhoi yn y stablau.

Croeso i'r
gwersyll ceffylau!

berfa

Owen

helmed

Tirion,
yr athrawes

brwsh

chwistrell

awen

cyfrwy

Elin

Sara

fforch

19

Gweithio

Mae Andrea yn gweithio yng nghaffi
Abercalon dros yr haf.

Mae'r caffi yn brysur iawn.
Wyt ti'n cofio pam mae Andrea
yn gweithio yn y caffi?

"Dwi'n hoffi canu pan dwi'n gweithio!"
meddai Andrea.

Mae'r cwsmeriaid wrth eu bodd
    yn gwrando arni!

Dw'in canu cerddoriaeth.
Dyma gân newydd!

Ffrindiau!

Ela a Lili

Mia a Sara

Ffrindiau da, ffrindiau gwych!

Fy ffrindiau yw'r sêr sydd fry yn y nen,
yn canu a dawnsio nes daw'r dydd i ben.

Ffrindiau yw'r galon sy'n curo o hyd,
yn rhannu a charu a llonni fy myd.

Ela a Lili
Mia a Sara
Ffrindiau da, ffrindiau gwych!

(Cytgan)
Hwyl a gwenu,
crio a chwerthin,
cwtsh a chyngor
ym mhob tymor.

Dere 'da fi,
a dangosaf i ti
fy ffrindiau
gorau i!

Ymlacio

Dyma Ela a Mia yn ymlacio gyda'i gilydd.
Beth mae'n nhw'n ei yfed?

"Sudd ffrwythau blasus yw hwn,"
meddai Mia.

Oes ganddoch chi eli haul, ferched?

Mae gan Ela fwthyn ar lan y môr.

Dyna lwcus wyt ti, Ela!

Dyma'r lle perffaith i'r ffrindiau ymlacio, sgwrsio a chwerthin.

www.abercalon.com

Croeso, Ela

Ebost 15

Postiwyd   125

Drafft   1

Neges Newydd

Anfon

Cadw

Dileu

At: Andrea, Sara, Mia, Lili

Oddi wrth: Ela

Pwnc: Parti Pwll!   1 Atodiad

Parti pwll Ela!

Mae'n amser i fwynhau'r haul!

Dyma wahoddiad i Barti Pwll!

Bydd lemonêd a hufen iâ i bawb!

Dydd Mawrth am 4 o'r gloch.

Bwthyn glan y môr.

Cofia ddod â fflip-fflops,
gwisg nofio a digon
o eli haul!

Ffasiwn

Dros yr haf, mae Ela yn gweithio
yn y stiwdio.

Mae Ela wrth ei bodd â ffasiwn.
Mae hi'n mwynhau gwneud dillad ei hun.

Mae Ela yn gweld syniadau
 ar y cyfrifiadur.
   Mae hi'n hoffi arlunio
    a chreu patrymau.

   Beth am edrych ar yr oriel syniadau?

Fest las a sgert binc. Hyfryd!
Ma'er esgidiau'n binc hefyd!

Fy hoff liwiau.

Fy Oriel Syniadau
gan Ela

Fest flodau a sgert binc gydag esgidiau gwyn. Hafaidd iawn!

Porffor a Phinc – perffaith!

Mae angen bag llaw bob amser!
Ond pa un yw fy ffefryn?
Dwi ddim yn gwybod wir!

Dwi'n hoffi casglu rhubanau
prydferth a bagiau hardd.

Gwallt gwych!

Dyma Awen yn sychu gwallt Ela yn y siop trin gwallt.

Mae Ela eisiau trio steil newydd.

Hyfryd iawn!

Mae colur yn y siop hefyd.

Pa liw minlliw wyt ti'n ei hoffi, Ela?

Dyma Mia yn cyrraedd i helpu
Ela i ddewis.

Mae Mia yn hoffi'r minlliw coch,
ac mae Ela yn cytuno.

"Ond ... mae'r pinc yn hardd hefyd!"
meddai Mia.

O diar, dydy Ela a Mia ddim yn gallu
penderfynu!

Helpu'r milfeddyg

Dyma Mia yn helpu Rhian, y milfeddyg.
"Dwi wrth fy modd yn helpu yma,"
meddai Mia wrth Rhian.

Mae Mia yn bwydo'r anifeiliaid, yn
helpu i lanhau, ac yn mynd â nhw am
dro. Yn aml, mae hi'n siarad gyda'r
anifeiliaid pan maen nhw'n
ofnus neu wedi brifo.

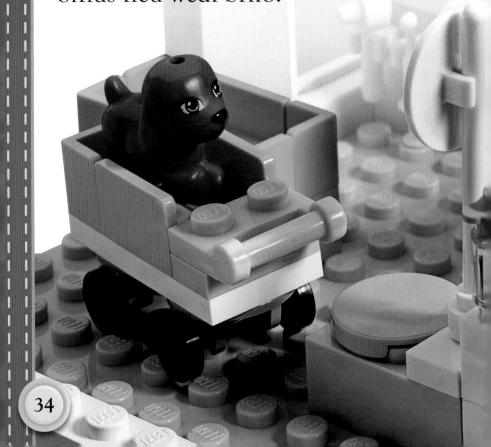

Mae Mia yn hoffi anifeiliaid ac
mae anifeiliaid yn ei hoffi hi hefyd!
Hoffai Mia fod yn filfeddyg rhyw
ddiwrnod.
Mae hi'n dysgu wrth wylio Rhian.

Sioe gŵn

Dyma Siôn, ci Mia, yn gwneud
triciau a chael hwyl.
Mae Mia a Siôn yn mynd
i sioe gŵn Abercalon!

Rwyt ti'n gwisgo
rhuban smart,
Siôn!

Mae Mia eisiau i Siôn ennill y wobr
am y ci bach mwyaf heini!

Does dim llawer o amser tan y sioe.
Mae Mia a Siôn yn ymarfer pob dydd.
Da iawn ti, Siôn. Dal ati!

BLOG
ABERCALON

Cwrdd â Cochyn a Sara

Llun: Newyddion Abercalon

Roedd hi'n ddiwrnod mawr yn Abercalon ddoe – diwrnod y sioe gŵn – ac roedd llawer o gŵn y dref wedi dod i gymryd rhan.

Dyma lun o Siôn yn ennill y wobr am y ci bach mwyaf heini!

"Rydw i mor falch bod Siôn wedi ennill!" meddai Mia. "Mae e wedi gweithio mor galed."

Yn y llun hefyd mae Casi, ci Lili. Daeth Casi yn ail.

"Mae Siôn a Casi yn ffrindiau da, ac rydw i a Lili yn ffrindiau da hefyd," meddai Mia.

"Mae Casi wedi gweithio'n galed. Da iawn, Casi."

Mae Siôn a Casi yn haeddu trît!

Da iawn, bawb.

Sŵn mawr!

Mae gan Mia ddrymiau newydd!

Yr haf yma, mae hi eisiau dysgu sut i'w chwarae!

Wyt ti'n gweld enw Mia ar y drymiau?

Dyma hi'n brysur yn ymarfer.
Mae hi'n gwrando ar y radio ac
yn dilyn rhythm y gerddoriaeth!

Mae Mia eisiau dechrau grŵp roc!

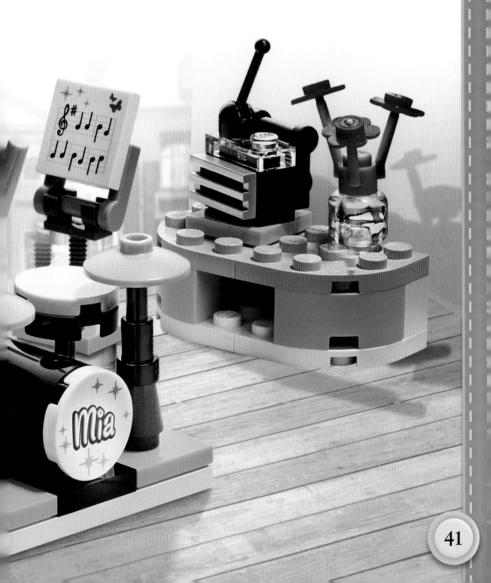

Antur yn yr awyr iach

Mae hi'n heulog o hyd yn Abercalon!

Mae'r merched yn mwynhau
yn yr awyr iach.

Mae Mia wrth ei bodd yn sglefrfyrddio.
Mae hi'n ymarfer yn y parc.

Neidio a gwneud triciau yw
hoff bethau Mia!

Dyma Lili wrth y cwch cyflym.

Mae hi wedi dysgu sut i yrru
cwch ei rhieni!

Y campyr-fan

Edrych ar fan Lili! Campyr-fan pinc!
Gall dau berson gysgu yn y campyr-fan.
Mae Lili, a'i ffrind, Non, yn mynd
am antur.

Dyna hwyl!

Mae'r beiciau yn y treilyr.
Mae Lili a Non yn barod i fynd!
Bant â nhw yn y campyr-fan!

Dyma'r merched yn dod o hyd i le tawel.

Bant â nhw ar y beiciau.

Mae Lili a Non yn dechrau sgwrsio.

Mae Lili yn siarad am ei ffrindiau,
Mia, Sara, Andrea ac Ela.

Mae Non wrth ei bodd yn clywed
am y merched.

Ond am beth mae Non yn siarad?

Am gathod a choginio!
Ei hoff bethau!

Y diwrnod wedyn, mae Lili a Non
yn mynd i'r traeth.

Beth am fynd i syrffio?
Mae Lili yn dysgu Non sut i syrffio!

"Dwi wedi blino'n lan nawr!"
meddai Non.

"Dwi eisiau ymlacio!"
"Syniad da," meddai Lili.

Mae Lili a Non yn mynd
yn ôl i'r campyr-fan.

Cefn gwlad Abercalon

Mae Lili a fi wedi cael
diwrnod bendigedig!

Mae Lili a fi wedi bod yn crwydro!

Rydyn ni wedi gweld gwartheg a cheffylau.

Dwi wedi tynnu llawer o luniau da!

Dyma fi yn cogino ar y barbeciw!
Iym! Cyw iâr blasus!

Mae'r llyfr hwn yn eiddo i ......Non........

Creu

Mae Lili yn hoffi creu!

Dyma Rob y robot. Mae Lili wedi creu Rob!

Mae Rob yn gallu symud
a gwneud pethau.

Ond mae angen digon o olew
arno er mwyn iddo weithio'n dda.

Tŷ coeden

Dyma dŷ coeden arbennig!

Y merched sydd wedi creu'r tŷ coeden.

Mae digon o le i Mia, Lili, Ela, Sara ac Andrea yn y tŷ coeden anferth.

Does neb yn gwybod am y tŷ coeden – dim ond y ffrindiau!
Ssssh! Cyfrinach yw'r tŷ coeden!

Dyma'r lle perffaith i'r merched sgwrsio, chwerthin ac ymlacio.

Mae pysgodyn yno i Malan y gath hefyd!

Hwyl yn y gwyliau

"Wel, mae'r haf bron ar ben,"
meddai Ela yn drist.
"Beth am gael un barbeciw arall?"
meddai Sara.
Syniad da.

Mae'r ffrindiau wedi cael haf
o hwyl gyda'i gilydd.

Beth wyt ti eisiau ei wneud dros yr haf?
Syrffio? Beicio? Gweithio? Ymlacio?

Mae'n hwyl gwneud pethau gyda
ffrindiau.

"Hwyl a gwenu, crio a chwerthin,
cwtsh a chyngor ym mhob tymor.
Dere 'da fi, a dangosaf i ti
fy ffrindiau gorau i!"

Cwis

1. Pa fath o awyren mae Sara yn ei hedfan?

2. At bwy mae Sara yn ysgrifennu llythyr?

3. Ble mae Andrea yn gweithio?

4. Beth yw enw cân Andrea?

5. Ble mae bwthyn Ela?

6. Pwy sy'n helpu Ela gyda'i gwallt?

7. Beth yw enw ceffyl Mia?

8. Pa offeryn mae Mia yn dysgu sut i'w chwarae?

9. Beth yw enw robot Lili?

10. Pwy sy'n mynd gyda Lili yn y campyr-fan?

Atebion ar
dudalen 61

Geirfa

antur adventure
awyren fôr seaplane
beicio biking
bwthyn cottage
cerddoriaeth music
crwydro to wander
cwsmeriaid customers
cyfrifiadur computer
ennill to win
ffefryn favourite
glanio to land
gwahoddiad invitation
gweithio working
gwersyll camp
gwobr prize
hafaidd summery
marchogaeth horse-riding
minlliw lipstick

oriel syniadau ideas gallery/
   mood board
sglefrfyrddio skate-boarding
sudd ffrwythau fruit juice
syrffio surfing
talu to pay
ymlacio to relax
ymuno to join in
ysgrifennu to write

Iaith i ddysgwyr / Language for learners

Sometimes in Welsh the first letter of the word changes, usually because of a word which has come before it. This is called a MUTATION (TREIGLAD). Can you spot any mutations in this book? You may have wondered why cathod (cats) changed to 'gathod' on page 47. It did so because of a mutation rule. Don't worry about these, you will learn all about them as you progress with the language. Please just be aware that you might notice some mutations in this book.

You may have noticed that when the girls talk about themselves, they say "Rydw i". For example, on page 6, in Sara's letter to Elin, she writes, "Rydw i'n hoffi gwyliau'r haf" (I like the summer holidays). Often, when people are speaking (in books and in real life!) they will use "Dwi / Dw i" (which has come from "Rydw i"). You might see "Rwy'n" in some books too.

So, "Rwy'n hoffi..."
"Rydw i'n hoffi..."
and "Dwi'n hoffi..." are all the same.

In this book, you and your child have been reading a bit about what the characters have done and what they're going to do:

"Rydw i wedi ..." (I have ...) and
"Rydw i'n mynd i ..." (I'm going to ...)

In the blog on page 38 you will have come across "Roedd hi'n"...
This is a way of describing something which happened in the past (It was ...)
e.g "Roedd hi'n ddiwrnod mawr." (It was a big day).
"Roedd hi'n" can also be used with an adjective to describe a female (She was ...)
"Roedd hi'n hapus." (She was happy).

Atebion i'r cwis / Answers to the quiz:

1. Awyren fôr
2. Elin
3. Yng nghaffi Abercalon
4. Ffrindiau!
5. Ar lan y môr
6. Awen
7. Bel
8. Drymiau
9. Rob
10. Non

Canllaw i rieni

ER MWYN DARLLEN Y LLYFR HWN,
DYLAI'CH PLENTYN FOD YN GALLU:

- Adnabod llythrennau a chyfuniad o lythrennau a'u sŵn, darllen geiriau anghyfarwydd, geiriau lluosog, ynghyd â berfau syml ac ambell ansoddair e.e. lliw.
- Defnyddio'r stori, lluniau a strwythur y frawddeg er mwyn gwirio a chywiro ei ddarllen ei hun.
- Amrywio amseru'r frawddeg yn ôl yr atalnodi; saib ar ôl coma, saib hirach ar ôl atalnod llawn, newid y llais i gydnabod cwestiwn, ebychnod neu ddyfyniad/deialog.

Mae darllen yn gallu bod yn ymdrech fawr ac yn waith caled i rai plant. Gall cefnogaeth a chymorth oedolyn fod o help mawr. Dyma ambell syniad wrth ddefnyddio'r llyfr hwn gyda'ch plentyn.

1. Darllenwch y clawr cefn, a thrafodwch y dudalen gynnwys gyda'ch gilydd cyn dechrau.

2. Cefnogwch eich plentyn wrth ddarllen drwy adael iddo ddal a throi'r tudalennau ei hunan.

3. Anogwch eich plentyn a gofynnwch gwestiynau am yr hyn mae'n ei ddarllen. Mae'r tudalennau ffeithiol ychydig yn anoddach na gweddill y testun, ac fe'ch cynghorir i rannu'r profiad o ddarllen y rhain gyda'r plentyn.

SYNIADAU PELLACH:

- Ceisiwch ddarllen gyda'ch gilydd bob dydd. Ychydig bach yn aml yw'r ffordd orau. Ar ôl 10 munud, does dim rhaid parhau oni bai bod eich plentyn yn awyddus i wneud hynny.
- Anogwch eich plentyn i drio darllen geiriau anodd ei hunan. Cofiwch ganmol eich plentyn pan mae e'n ei gywiro ei hun.
- Darllenwch lyfrau eraill i'ch plentyn er mwyn cynnal a chadw ei ddiddordeb.

Guide for Parents

TO READ THIS BOOK YOUR
CHILD SHOULD BE ABLE TO:

- Recognise letters, and a combination of letters and their sounds, read unfamiliar words, as well as simple verbs and some adjectives e.g. colours.
- Use the storyline, illustrations and sentence structure to check and correct his/her own reading.
- Vary the timing of a sentence, taking into account the punctuation; pause after a comma, and for longer at a full stop, and altering voice/expression to respond to a question, exclamation mark or speech marks.

For many children, reading requires much effort but adult participation and support can help. Here are a few ideas on how to use this book with your child.

1. Read the back cover, and discuss the contents page with each other before you begin.

2. Support your child in their reading through letting them hold the book and turn the pages him/herself.

3. Encourage your child and ask questions about what they have read. The factual pages tend to be more difficult than the story pages, and are designed to be shared with your child.

A FEW ADDITIONAL TIPS:

- Try and read together every day. Little and often is best. After 10 minutes, only keep going if your child wants to read on.
- Always encourage your child to have a go at reading difficult words by themselves. Praise any self-corrections.
- Read other books of different types to your child for enjoyment and to keep them interested.

Hefyd yn y gyfres:

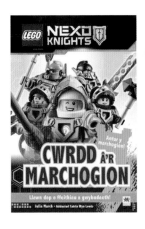